Eva

Pokémon™

Noir & Blanc

Aventures à Unys

La Ligue d'Unys

Novélisation : Natacha Godeau.
Conception graphique : Valérie Gibert & Philippe Sedletzki.

Hachette Livre, 43 quai de Grenelle, 75015 Paris.

Pokémon™ Noir & Blanc
Aventures à Unys

La Ligue d'Unys

hachette
JEUNESSE

Pikachu

Ce Pokémon de type Électrik est extraordinaire ! Non seulement il est très malin, mais il est aussi extrêmement gentil, comme Sacha. D'ailleurs, il ne quitte jamais son Dresseur : on peut même dire que c'est son meilleur ami !

Sacha

Sacha vient de Bourg Palette, un petit village dans la région de Kanto. Il parcourt le monde pour accomplir son rêve : devenir un Maître Pokémon. Mais avant ça, il doit s'entraîner à devenir le meilleur Dresseur ! Et il est sur la bonne voie : c'est un garçon tellement gentil que tout le monde veut devenir son ami, même les Pokémon qu'il rencontre !

Rachid

Rachid est un expert en Pokémon : il connaît presque tout à leur sujet. Pourtant, il n'en attrape pas beaucoup ! En réalité, ce qui l'intéresse vraiment, c'est de rire avec ses amis. Et encore plus de leur faire des petits plats...

Iris

Iris n'a peur de rien, et certainement pas de dire ce qu'elle pense ! Dès qu'elle trouve quelque chose mignon, la jeune fille le veut... surtout si c'est un Pokémon !

Feuillajou

Tout comme son Dresseur Rachid, Feuillajou est gentil et toujours prêt à aider ceux qu'il apprécie. Ce Pokémon Singe Herbe de type Plante peut en guérir d'autres grâce aux feuilles qui poussent sur sa tête.

Coupenotte

Coupenotte est un Pokémon de type Dragon. Il suit Iris partout où elle va. C'est un Pokémon qui fait tout son possible pour aider les autres.

La Team Rocket

Jessie,
James et le Pokémon
parlant Miaouss forment un trio
diabolique. Ils passent leur temps
à essayer de voler des Pokémon !
Cette fois, c'est leur chef, Giovanni,
qui leur a donné la mission d'attraper
le plus de Pokémon possible à Unys
pour monter une armée…

Reshiram

Zekrom et
Reshiram sont
des Pokémon légendaires.
Uniques en leur genre, ils sont tellement
puissants qu'ils peuvent bouleverser
la météo ! Lorsque Reshiram libère
sa chaleur et que Zekrom produit
de l'électricité, il vaut mieux
s'éloigner !

Zekrom

Chapitre 1

Retrouvailles

Sacha, Rachid et Iris sont fous de joie. Après des jours de voyage et d'aventures, ils parviennent enfin à Verteresse, où doit se dérouler le défi de la Ligue d'Unys.

— Génial ! Maintenant que j'ai obtenu mes huit Badges

d'Arène, je suis trop impatient de m'inscrire ! s'exclame Sacha.

— Pika-pika ! renchérit Pikachu, sur son épaule.

De nombreux Dresseurs sont venus en ville afin de participer à la compétition, eux aussi. L'ambiance est fantastique !

— Allons vite au bureau des inscriptions, conseille Iris.

En chemin, ils retrouvent des amis Dresseurs : l'infatigable Bianca, Jules le vantard, Virgil de l'Organisation de Secours Pokémon, Niko l'orgueilleux et enfin Alexis, toujours si étourdi que, sans Sacha, il oubliait carrément de s'inscrire à la Ligue d'Unys alors que les combats commencent le lendemain !

Après une bonne nuit de repos, tous les Dresseurs se réunissent au stade, prêts à s'affronter ! La foule envahit les gradins. Freddy Grandécran, le présentateur de l'événement, fait une arrivée remarquée... en parachute ! Il empoigne son micro et annonce :

— Bonjour à tous ! Je vous souhaite la bienvenue à la Ligue d'Unys ! Que l'agent Jenny allume la flamme de la Ligue !

Les spectateurs applaudissent. Lorsque le feu crépite dans l'immense vasque qui surplombe l'Arène principale, Freddy reprend :

— Le défi va débuter par les tours de qualification. Ce sont des combats éliminatoires, ce qui signifie que les perdants ne participeront pas aux tours suivants. Et maintenant, que le tirage au sort désigne les adversaires !

Tous les regards se tournent vers l'écran géant. Sacha sent son cœur s'emballer. Découvrir contre qui il va se battre pour se qualifier est un moment très stressant ! Enfin, le tableau s'illumine.

Il indique que Jules affrontera Pablo. Bianca, Mikaël. Virgil, Ultimo. Alexis, Kendrick. Et Sacha se mesurera à Niko.

— Oh non ! soupire Sacha. Niko est très fort. Il m'a déjà battu plusieurs fois...

— Pika-pika ! l'encourage son fidèle Pokémon Souris.

Sacha redresse la tête.

— Tu as raison. Je n'ai pas l'intention de laisser passer ma chance. Niko ou pas, je remporterai les qualifications... et en ta compagnie, mon vieux Pikachu !

Plusieurs combats se déroulent en même temps. La foule est absolument passionnée par ce qui se passe dans les différentes arènes. Par chance, Jules l'emporte sur Pablo. Bianca terrasse Mikaël. Virgil anéantit Ultimo, et Alexis ne fait qu'une bouchée de Kendrick. Mais Niko est un rival redoutable pour Sacha, et Majaspic, le Pokémon Majestueux évolution de Lianaja, esquive sans mal les attaques de Pikachu, de plus en plus affaibli...

— Du cran, Pikachu ! s'écrie Sacha. On n'a pas gagné nos huit Badges d'Arène pour perdre avant même d'atteindre les duels principaux de la Ligue d'Unys !

Dans les gradins, les amis de Sacha s'inquiètent.

— Niko doit déjà sentir le parfum de la victoire, souffle Rachid.

Iris s'égosille :

— N'abandonne pas, Pikachu ! Résiste !

Le vaillant Pokémon Souris serre les poings. Et grâce à Queue de fer combinée à Boule Élek, il surprend Majaspic,

trop sûr de lui... et remporte le combat !

Chapitre 2

On passe aux choses sérieuses !

Les tours éliminatoires sont terminés. Après une nouvelle nuit de repos, les défis principaux peuvent commencer ! Freddy Grandécran explique :

— Mesdames et messieurs, pour les combats d'aujourd'hui,

les Dresseurs pourront utiliser deux Pokémon chacun. Place au tirage au sort !

Comme la veille, les visages des adversaires apparaissent sur l'écran géant. Et surprise : le premier combat oppose Bianca à Alexis ! La fillette fait preuve de beaucoup de détermination, mais malgré leurs efforts, son Lançargot et son Roitiflam ne sont pas de taille contre le Clamiral et le Riolu d'Alexis !

Bianca est déçue, bien sûr. Seulement, elle sait qu'elle a fait de son mieux.

Et Alexis est un Dresseur de grand talent.

— Merci pour ce formidable combat ! lance Freddy Grandécran. Les Dresseurs ont à présent quartier libre avant la reprise du tournoi. À ce soir pour le grand feu d'artifice de la Ligue d'Unys !

Personne ne veut manquer ça ! Après une journée de détente bien méritée, soit au sauna, soit à se régaler de Glaces Volutes, Sacha et ses amis assistent ensemble au merveilleux spectacle, dans le ciel de Verteresse. De quoi récupérer toute son énergie pour les prochains défis ! D'ailleurs, le jour suivant, Sacha affronte Jules dans un trois contre trois. Jules choisit Léopardus, son Pokémon Implacable évolution de Chacripan. Sacha décide de lui opposer Crocorible, son

Pokémon Intimidation évolution d'Escroco.

La lutte est serrée. Les deux rivaux restent longtemps à égalité, puis Léopardus est finalement battu par une attaque Dracogriffe.

— Au numéro deux ! dit alors Jules. Zéblitz, c'est à toi !

Le Pokémon Foudrélec est la forme évoluée de Zébibron. Sacha change donc de stratégie et préfère cette fois Batracné, son Pokémon Vibration, forme évoluée de Tritonde.

— Un choix très judicieux ! apprécie Rachid, dans les gradins.

L'affrontement est terrible. À tel point que les deux rivaux font match nul, leurs deux Pokémon hors d'état de combattre ! Vite, Jules appelle Karaclée, son

Pokémon Karaté. Sacha n'hésite pas une seconde : lui, il sélectionne Manternel, son Pokémon Précepteur, évolution de Couverdure. Mais malgré Essaim, une Capacité Spéciale qui renforce son type Insecte, Manternel ne peut résister à Karaclée. Sacha n'a plus qu'à choisir à nouveau Crocorible pour terminer le combat... et le remporter haut la main grâce à l'attaque Aéropique, le point faible de Karaclée !

— Hourra ! applaudit Iris.

— Sacha, tu m'as offert un duel prodigieux, admet sportivement Jules. Demain, je t'encouragerai du public !

Sacha sourit d'un air satisfait. En accédant au tour suivant de la Ligue d'Unys, il se rapproche de plus en plus de la finale !

— Le tirage au sort vient de désigner les deux prochains combattants, annonce alors Freddy Grandécran. Il s'agit d'Alexis contre Sacha. Rendez-vous demain matin pour ce défi extraordinaire, qui sera désormais un six contre six !

— Ah, enfin ! se réjouit Sacha. La bataille promet d'être grandiose !

— Oui, mais ne crie pas victoire trop vite, réplique Alexis. Car je possède une arme

secrète qui risque bien de t'étonner...

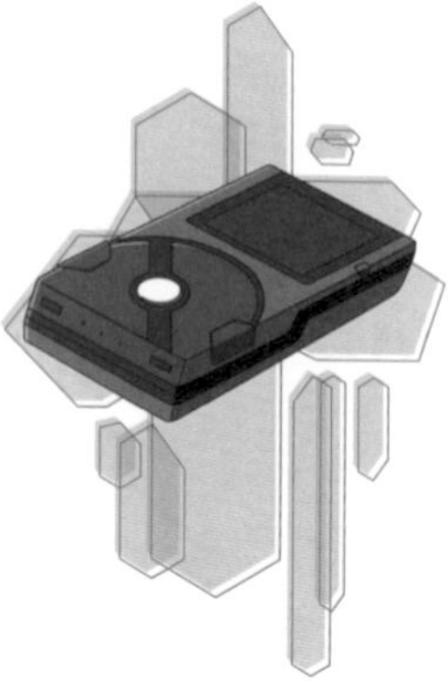

Chapitre 3

Un combat épique

L'heure de la rencontre entre Sacha et Alexis a sonné ! Dans l'Arène, les adversaires se font face, chacun bien décidé à gagner. Alexis déclare :

— Le moment est venu de te présenter mon arme secrète, Sacha !

Puis le Dresseur brandit une Poké Ball, et un énorme Trioxhydre en surgit. Abasourdi, Sacha consulte son Pokédex :

— Trioxhydre, le Pokémon Brutal, est la forme évoluée de Diamat. Avec ses trois paires d'ailes, il sillonne le ciel, à l'affut de tout ce qui bouge. Ses trois têtes sont dotées d'un appétit féroce.

Sacha réfléchit. Quel Pokémon opposer à ce redoutable Trioxhydre ?

— Géolithe, à toi de jouer ! décide-t-il enfin.

Dans les gradins, Rachid et Jules approuvent. Le Pokémon Minerai leur paraît un excellent choix pour entamer la rencontre à six contre six !

— C'est parti ! proclame Alexis. Trioxhydre, utilise Triplattaque !

Le Pokémon Brutal crache des flammes et des rayons par ses trois bouches. Géolithe étant incapable d'esquiver, Alexis enchaîne avec un puissant Dracochoc. Mais le Pokémon Minerai résiste, et Sacha s'exclame :

— Bravo ! Réplique avec Boule-Roc, suivi d'Éclate-Roc !

Trioxhydre semble indestructible. Il lance en retour Dracocharge, puis Triplattaque. Géolithe a encore la force de riposter avec Luminocanon, mais une nouvelle attaque Dracochoc a raison de lui, et Alexis remporte la première manche.

— Ton Trioxhydre est fabuleux, reconnaît Sacha. Il rend ce défi passionnant ! Mais je n'ai pas dit mon dernier mot. Moustillon, je te choisis !

Le Pokémon Loutre semble bien fragile pour affronter

Trioxhydre. Il fait cependant preuve d'une grande ténacité. Ses attaques Aqua-Jet et Coquilame se révèlent très efficaces. D'autant qu'il esquive Dracochoc et combine alors Coquilame à Hydrocanon et Charge. Hélas, la Triplattaque de Trioxhydre, suivie du combo inattendu Coup Double et Dracocharge, finissent par assommer Moustillon...

— Tu t'es bien battu, le félicite Sacha. Tu as réussi à affaiblir Trioxhydre. Maintenant, repose-toi. Je continue avec Grotichon... et Casse-Brique !

Trioxhydre encaisse des dégâts. Il est fatigué par ses combats précédents, et Grotichon est du genre persévérant. Il contrecarre sans mal Coup Double puis assène Nitrocharge, Lance-Flamme et Aire-de-Feu, avant un dernier Casse-Brique qui envoie le Pokémon Brutal au tapis !

— Ton Pokémon Cochon Feu est génial, Sacha ! admet Alexis. Voyons donc ce qu'il fera contre mon Noacier !

Mais le Pokémon Boule Épine n'est pas un choix très avisé. Grotichon ne craint pas ses attaques Griffe-Acier, Dard-Nuée ou Miroi-Tir. Et en moins de deux, il le maîtrise pour de bon !

— Quel suspense, mesdames et messieurs ! clame le commentateur. Nos rivaux sont désormais à égalité !

Alexis a l'idée de poursuivre avec Clamiral. C'est un Pokémon Dignitaire dont le type Eau désavantage Grotichon. Une attaque Hydroblast difficile à surmonter doublée d'Aqua-Jet, et le Pokémon Cochon Feu perd en effet le duel.

— Pikachu, c'est à ton tour ! s'écrie alors Sacha.

Le Pokémon Souris apparaît dans l'Arène. Il trépigne d'impatience : son type Électrik est idéal pour contrer Clamiral !

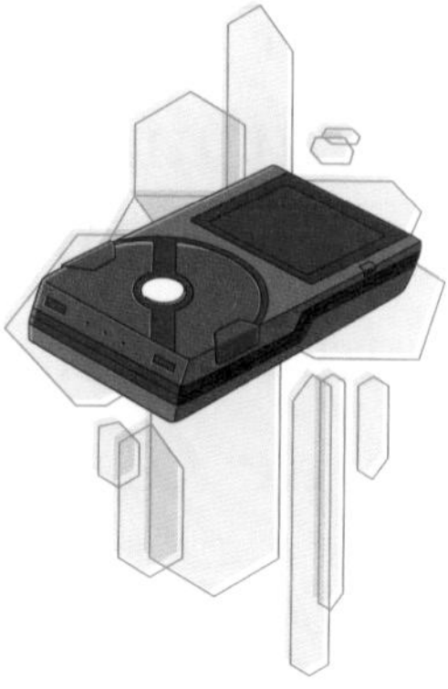

C	L	A	V	I	C	U	L	E	S	V
R	A	D	I	U	S	R	R	C	T	E
C	A	I	B	I	T	U	O	U	E	R
E	O	A	O	S	L	M	T	B	R	T
S	M	C	O	T	E	E	U	I	N	E
R	O	T	E	T	E	F	L	T	U	B
A	P	C	R	A	N	E	E	U	M	R
T	L	E	N	O	R	E	P	S	C	E
A	A	I	S	U	R	E	M	U	H	S
T	T	E	P	R	A	C	A	T	E	M
	E	U	E	G	N	A	L	A	H	P
	S	Q	U	E	L	E	T	T	E	M

Chapitre 4

Le meilleur des deux

Pikachu s'en donne à cœur joie. Tonnerre, Vive-Attaque, Boule Élek et surtout Queue de fer sont d'une puissance extraordinaire, comparées aux Coquilame, Hydroblast et Mégacorne de Clamiral... qui s'écroule bientôt, vaincu. Alexis fronce les sourcils d'un air résolu.

— Le combat n'est pas terminé, Sacha, dit-il en jetant une nouvelle Poké Ball. Lakmécygne, je te choisis ! Prends ton envol et lance Picore !

Le Pokémon Cygne tente de frapper Pikachu à coups de bec. Mais ce dernier est plus rapide. Impossible de le toucher ! Il réplique avec Vive-Attaque, que Lakmécygne esquive avant d'utiliser un combo Cru-Aile et Bulles d'O.

— Riposte avec Boule Élek, Pikachu ! ordonne Sacha.

Et Lakmécygne s'effondre. Pikachu a encore gagné ! Cette fois, Alexis souhaite lui opposer son fidèle Riolu. Sauf que Sacha préfère ménager son compagnon...

— Repose-toi un peu, Pikachu. Je vais poursuivre avec Déflaisan !

Le Pokémon Fier se dresse contre son adversaire. Sacha l'encourage :

— Lance Tornade, suivie de Vive-Attaque !

— Tu connais la parade, Riolu, réplique Alexis. Saute sur le dos de Déflaisan et utilise Forte-Paume !

Grâce à Tranch'Air, Déflaisan fait tomber le Pokémon Émanation, qui lui envoie alors Photocopie et Onde Vide. Déflaisan a beau jeter Aéropique, Riolu résiste et réussit même une formidable attaque

Projection qui assomme son rival sur le coup. Sacha n'abandonne pas pour autant.

— Déflaisan a perdu, mais il me reste ma Vipélierre !

La vaillance du Pokémon Serpenterbe est sensationnelle. Elle évite Onde Vide, puis

elle résiste contre Photocopie et Forte-Paume. Même Projection ne l'abat pas, tandis que ses attaques Lame-Feuille, Tempêteverte et Fouet-Lianes portent leurs fruits. Tempêteverte vient à bout de Riolu ! Tout le monde donne Vipélierre vainqueur... lorsque Riolu évolue en Lucario ! Le public est tétanisé. Quel incroyable retournement de situation ! Alexis consulte son Pokédex :

— Lucario, le Pokémon Aura est la forme évoluée de Riolu. Il devine les pensées de ses adversaires. Il ressent également leurs émotions en lisant leur aura.

Sacha s'applique.

— Surtout, reste concentrée, Vipélierre. Utilise Lame-Feuille !

Lucario riposte avec une attaque Forte-Paume ultra-puissante. Vipélierre lance alors Fouet Lianes, mais la Projection de Lucario l'étourdit. Elle se redresse bravement... et retombe, incapable de résister à Aurasphère du Pokémon Aura. Sacha n'a plus d'autre option. Il rappelle Vipélierre et

confie à Pikachu le soin de conclure le combat, en frappant par trois Vive-Attaque suivies de Queue de fer. Lucario esquive et réplique d'un combo Forte-Paume et Aurasphère, contre laquelle Pikachu envoie Boule Élek. Les deux combattants s'effondrent ensemble, puis se relèvent. Et l'affrontement reprend de plus belle ! Forte-Paume, Projection et Photocopie pour Lucario, contre Tonnerre, Vive-Attaque et Queue de fer pour Pikachu. Et à nouveau, match nul !

— J'ai confiance en toi, Pikachu. Tu peux te relever ! souffle Sacha.

Malgré son épuisement, le petit Pokémon jaune se redresse dans un dernier effort... tout comme Lucario ! Pikachu monopolise alors ses ultimes forces pour lancer une attaque Boule Élek. Hélas, la riposte Aurasphère de Lucario est imparable...

— Pikachu n'est plus capable de se battre, annonce Freddy Grandécran, à la grande surprise de Sacha. Alexis et Lucario remportent le combat !

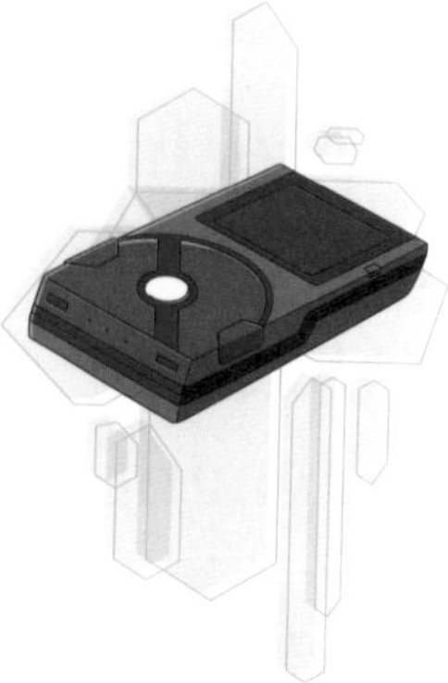

Chapitre 5

L'aventure continue

Sacha réconforte Pikachu.

— Tu t'es battu comme un vrai champion, le félicite-t-il. Je suis fier de toi. Merci !

Alexis s'approche d'eux.

— C'était un honneur de t'affronter, Sacha. Tu aurais aussi bien pu gagner.

Les deux amis se serrent la main. Bien sûr, Sacha est déçu d'avoir perdu... mais il ne regrette pas d'avoir participé à un combat aussi fantastique !

Le lendemain, les demi-finalistes de la Ligue d'Unys luttent bravement dans l'Arène : Alexis affronte Virgil ! Sacha et ses amis les acclament des gradins. Tandis qu'Alexis n'a déjà plus que Lucario pour combattre, il reste trois

Pokémon à Virgil. Son équipe Évoli est étonnante ! Il rappelle Mentali, le Pokémon Soleil forme évoluée d'Évoli, et jette une Poké Ball en s'exclamant :

— Pyroli, à toi de jouer !

Le Pokémon Flamme, autre évolution d'Évoli, est un choix parfait contre Lucario dont l'attaque Forte-Paume n'est d'aucune utilité face aux Reflet et Lance-Flamme de Pyroli.

— Courage, Lucario ! crie Alexis. Lance Aurasphère !

— Riposte avec Déflagration, Pyroli ! ordonne Virgil.

C'est le coup de grâce. Le Pokémon Aura n'a plus assez d'énergie pour supporter le jet de flammes et s'effondre. Freddy Grandécran commente :

— Virgil vient de gagner le combat de demi-finale ! Ce qui signifie qu'il participera tout à l'heure à la grande finale de la Ligue d'Unys contre l'autre demi-finaliste de ce tournoi, Didier !

Alexis rejoint ses amis dans les gradins. Il est triste d'être éliminé, mais il est décidé à soutenir Virgil. Et ce dernier en a bien besoin : il est pour le moment à égalité avec Didier !

Ils n'ont plus qu'un Pokémon chacun. Mais Évoli, le Pokémon Évolutif de Virgil, ne semble pas trop redouter Drakkarmin,

l'énorme Pokémon Caverne de Didier, dont elle esquive Draco-Rage avec Tunnel. Puis, elle utilise Queue de fer combinée à Atout. Drakkarmin s'écroule... vaincu. La foule acclame Virgil, le vainqueur du championnat !

— Mesdames et messieurs, applaudissez le jeune Dresseur Virgil et sa prodigieuse équipe Évoli, les héros de Verteresse,

les champions du défi de la Ligue d'Unys !

Sacha applaudit, ravi.

— Virgil a gagné... C'est super !

— Oui, c'est génial ! ajoute Alexis.

Après le feu d'artifice géant qui clôture la Ligue d'Unys, les Dresseurs se regroupent dans la rue pour féliciter une dernière fois Virgil. Justement, son frère Florian vient le chercher en hélicoptère. Leur père a organisé une fête en l'honneur du triomphe de son fils !

— Merci encore, les amis, répète Virgil en grimpant à bord. Sans vos encouragements, je n'y serais jamais arrivé. C'est notre victoire à tous !

Puis il s'envole gaiement en compagnie de Florian, et Bianca offre une tournée générale de délicieuses Glaces Volutes. Enfin, le moment est venu pour chacun de reprendre sa route. Alexis file comme une flèche, pressé de commencer à s'entraîner pour une prochaine compétition. Bianca et Jules rentrent chez eux. Quant à Sacha, il décide de poursuivre son voyage d'initiation. Il est décidé à dépasser son statut de Dresseur pour devenir un jour Maître Pokémon !

— Tu vois, Pikachu, même si on a vécu beaucoup d'aventures pour arriver

jusqu'ici, on a encore beaucoup de choses à apprendre.

— Oui, et nous aussi ! s'écrient en chœur Rachid et Iris. On continue l'aventure avec toi, Sacha !

— C'est vrai ? Chouette alors !

Les trois amis bouclent leurs bagages avant de prendre la direction de Renouet. Ils veulent revoir le Professeur Keteleeria, au Laboratoire de Recherches Pokémon. Après tout, c'est là que l'aventure de Sacha à Unys a commencé !

Sacha ne peut donc pas imaginer de meilleur endroit pour entamer leur nouveau voyage… en espérant que la Team Rocket n'aura pas l'idée de les rejoindre là-bas !

Fin

Trioxhydre

Types :

Ténèbres

Dragon

Attaque préférée :

Triplattaque

Évolution de Diamat, Trioxhydre est extrêmement puissant. Ce Pokémon est doté de six ailes noires et de trois têtes, mais seule celle du milieu contient un cerveau. Trioxhydre a un appétit monstrueux : il attaque et dévore tout ce qui passe à sa portée !

Tu as toujours rêvé de devenir
un Dresseur Pokémon ?
Tu as de la chance :
grâce à cette nouvelle histoire,
tu vas pouvoir faire tes preuves.
Tu es prêt ? Cette fois-ci
c'est *à ton tour* de tous les attraper !

TABLE

Chapitre 1
Retrouvailles 9

Chapitre 2
On passe aux choses sérieuses ! 19

Chapitre 3
Un combat épique 29

Chapitre 4
Le meilleur des deux 39

Chapitre 5
L'aventure continue 49

PAPIER À BASE DE FIBRES CERTIFIÉES

hachette s'engage pour l'environnement en réduisant l'empreinte carbone de ses livres. Celle de cet exemplaire est de :
250 g éq. CO_2
Rendez-vous sur www.hachette-durable.fr

Photogravure Nord Compo - Villeneuve d'Ascq

Imprimé en Espagne par CAYFOSA
Dépôt légal : mars 2014
Achevé d'imprimer : mars 2014
20.4476.6/01 – ISBN 978-2-01-204476-0
Loi n° 49956 du 16 juillet 1949
sur les publications destinées à la jeunesse